D1417580

À Dany, Gary et Charlene qui m'ont appuyée
durant la réalisation de ce livre.

À Maria, Anne-Louise et Dee qui ont cru en moi.

Et à Barnaby qui m'a trouvée et est
devenu l'amour de ma vie – merci.

Catalogage avant publication de
Bibliothèque et Archives Canada

Mendicino, Valentina, 1982-
[Really abominable snowman. Français]
Le véritable abominable homme des neiges /
Valentina Mendicino ; texte français de Josée Leduc.

Traduction de : The really abominable snowman.
ISBN 978-1-4431-3691-4 (couverture souple)

I. Leduc, Josée, 1962-, traducteur II. Titre. III. Titre :
Really abominable snowman. Français

PZ23.M475Ver 2014   j823'.92   C2014-903418-0

Publié initialement au Royaume-Uni, en 2014, par
Walker Books Ltd., 87 Vauxhall Walk, Londres SE11 5HJ, R.-U.

Valentina Mendicino a revendiqué ses droits d'auteure
et d'illustratrice concernant cet ouvrage conformément
à la *Copyright, Designs and Patents Act* de 1988.

Édition publiée par les Éditions Scholastic,
604, rue King Ouest, Toronto (Ontario)
M5V 1E1 avec la permission de Walker Books Ltd.

5 4 3 2 1   Imprimé en Chine CP139   15 16 17 18 19

Petits
gâteaux

Le véritable abominable homme des neiges

Valentina Mendicino

Texte français de Josée Leduc

Éditions
SCHOLASTIC

Au fond d'une grotte obscure,
sur les hauteurs de l'Himalaya,
vit... un yéti.

Il paraît qu'il est énorme, horrible et TRÈS poilu...

ICI

LÀ-BAS

PAR LÀ

qu'il MANGE les enfants perdus...

Beurk!

et qu'il sent le vieux fromage.

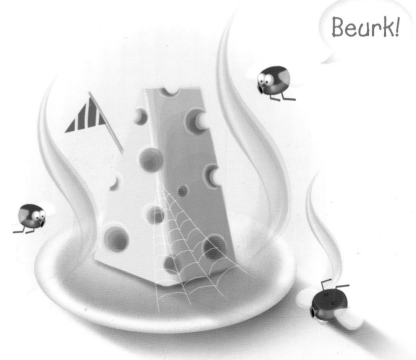

Il est terrifiant!

Il est **affreux!**

Il EST...

LE VÉRITABLE ABOMINABLE HOMME DES NEIGES!

Sa mère l'appelle Milo.

En fait, Milo n'est pas
du tout un monstre
et il ne mange pas
des ENFANTS,

mais des petits gâteaux
aux cerises! (Beaucoup
de gâteaux.)

Milo aime faire
de l'artisanat.

Sa grotte est
toujours impeccable,

et il se lave tous
les jours avec du
savon à la lavande.
Mais peu importe.

Pour les autres,
il est tout simplement...

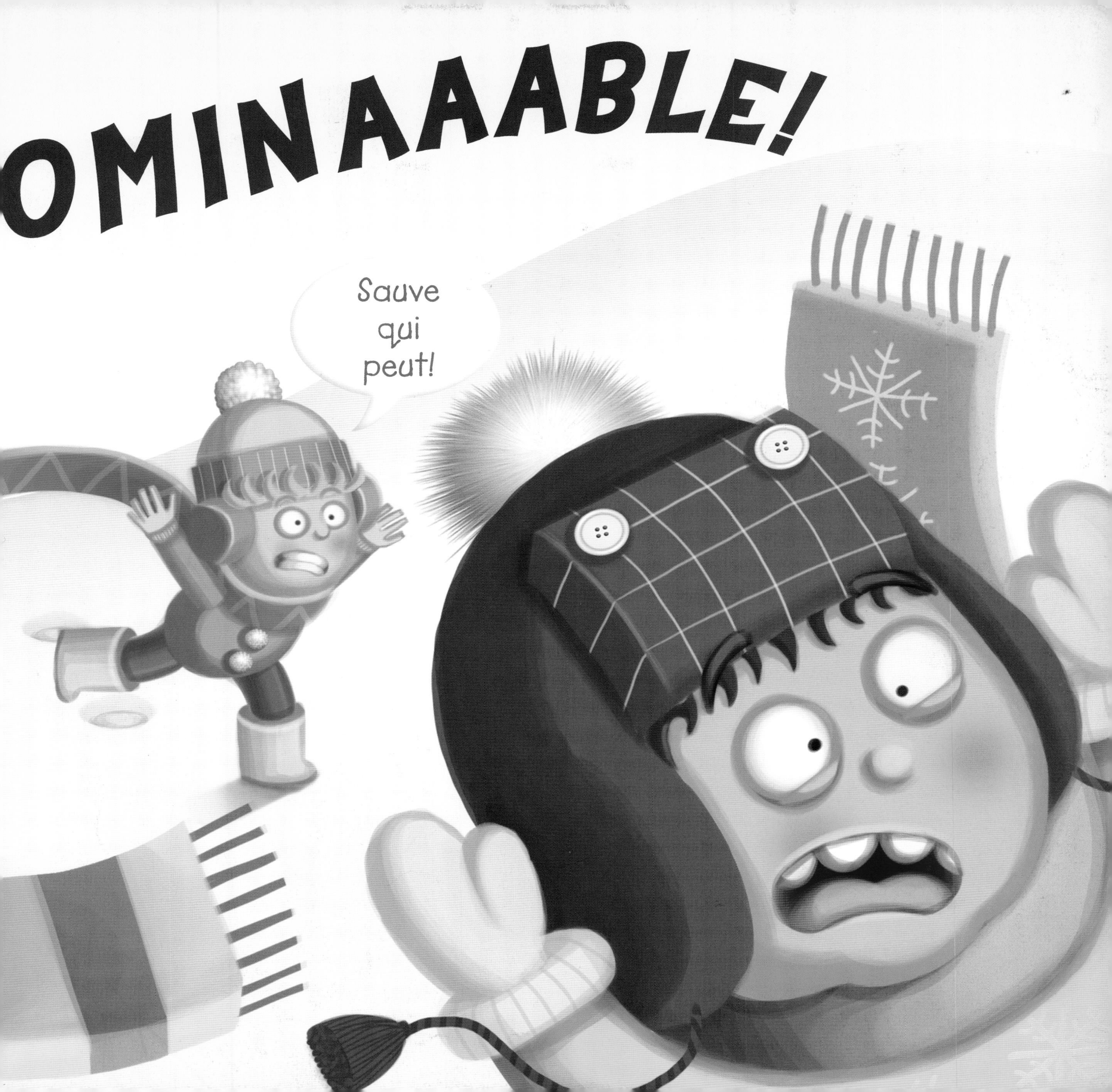
OMINAAABLE!
Sauve qui peut!

**Personne ne connaît le vrai Milo,
le Milo qui déteste que les gens
s'enfuient en le voyant.**

Milo voudrait seulement avoir un ami, un ami avec qui partager des petits gâteaux.

**Milo ne comprend pas
ce qu'il fait de mal.**

MÉTAMOR

TROP URBAIN.

Trop dur à cuire.

Trop BCBG.

Trop punk.

PHOSE!

TROP HIPPIE.

Trop français.

Trop Gaga.

NON! NON!
TROP, C'EST TROP.

Puis Milo entend dire
que les réseaux sociaux sont
parfaits pour se faire des amis.
Alors, il décide d'essayer...

Il commence par
envoyer un « tweet ».

Oups... il y va peut-être un peu trop fort.

Alors il décide d'essayer de nouveau.
(Milo ne se laisse pas abattre.)

**Mais il ne se fait toujours
pas d'amis.**

Puis un jour, Milo voit une annonce dans *Le Journal de l'Himalaya...*

Mais quand Milo se présente,
même le groupe des
créatures incomprises...

NE LE COMPREND PAS.

Ça ne sert à rien.

Milo sera toujours le véritable

abominable homme des neiges.

quelque chose arrive.

Quelque chose
d'extraordinaire!

Milo a trouvé une amie.
Et tu sais ce qu'elle aime?
Sophie (comme l'appelle sa maman)
aime les petits gâteaux, elle aussi.